# Die schönsten Leselöwen-Pferdegeschichten

# Die schönsten Leselöwen Pferdegeschichten

www.leseloewen.de

ISBN 978-3-7855-7565-9
1. Auflage 2012
© 2012 Loewe Verlag GmbH, Bindlach
Umschlagillustration: Dorothea Ackroyd
Reihenlogo: Cornelia Funke
Umschlaggestaltung: Christian Keller
Printed in Poland

www.loewe-verlag.de

# Inhalt

# Der Pferdeklub im Einsatz

Auf dem Reiterhof Friesenberg ist heute Nachmittag ein Fohlen zur Welt gekommen. Malte, Andi, Inka und Nora dürfen es nach ihrer Reitstunde anschauen. Alle vier sind völlig außer sich. Das Fohlen sieht aber auch so süß aus! Wie es da steht auf seinen hohen dünnen Beinen, mit seinen großen Ohren und mit dem kurzen struppigen Fell.

Doch Herr Braun, der Besitzer des Reitstalls, sieht besorgt aus. Inka fragt ihn, wie er bei solch einem schönen Fohlen so ernst sein könne. Herr Braun schüttelt den Kopf und sagt: „Es trinkt nicht."

Da fällt es ihnen auch auf. Ein
Fohlen trinkt eigentlich sehr bald nach
der Geburt bei der Mutter. Dieses Fohlen
ist aber jetzt schon eine Stunde alt und
ist noch nicht zur Mutter gegangen.

„Können wir helfen?", fragt Andi ganz
vorsichtig.

Die vier Freunde haben nämlich vor
einiger Zeit einen Pferdeklub gegründet,
der sich immer nach der Reitstunde trifft.
Dann sprechen sie über Pferde. Aber sie
wollen sich auch nützlich machen.

„Wir könnten doch das Fohlen ganz vorsichtig zur Stute führen", schlägt Malte vor.

Herr Braun nickt. Sie versuchen es mit Herrn Braun zusammen, ganz vorsichtig. Aber das Fohlen trinkt nicht.

„Wir geben nicht auf, wir versuchen es gleich noch einmal", meint Nora.

Dieses Mal scheint sich das Fohlen ganz langsam an das Euter heranzutasten. Aber dann bewegt sich die Mutter und es schreckt zurück.

Herr Braun erklärt ihnen, dass diese erste Milch der Stute wichtig ist für das Fohlen. Sie enthält viele Vitamine und Antikörper, die das Fohlen vor Krankheiten schützen. Spätestens vierundzwanzig Stunden nach der Geburt muss das Fohlen diese Milch trinken, sonst lässt ihre Wirkung nach.

Während er geredet hat, hat Herr Braun immer wieder auf seine Armbanduhr geschaut. „Eigentlich müsste ich jetzt weg", sagt er besorgt. „Ich habe einen dringenden Termin."

Die Freunde sehen sich an. „Sie können gehen", sagt Inka dann. „Wir bleiben hier. Der Pferdeklub hält Wache."

Als Herr Braun gegangen ist, probieren Nora und Andi es noch mal. Nora singt dazu eine leise Melodie. Das Fohlen schnuppert, es nähert sich, es berührt das Euter. Die Kinder warten gespannt.

Ja, das Fohlen nimmt das Euter! Es
trinkt! Andi hält den Finger vor den Mund.
Das heißt: „Leise bleiben, nicht jubeln."
Sonst erschrickt das Fohlen vielleicht.

Die Mutter wiehert. Das Fohlen wiehert
zurück und lässt dabei natürlich los. Die
vier sind enttäuscht. Aber Malte erklärt
den anderen, dass dieses Wiehern mit
der Antwort des Fohlens die Beziehung
zwischen der Mutter und dem Fohlen
vertieft. Das hat er in einem Buch
gelesen.

Doch nun hat sich das Fohlen wieder von der Mutter entfernt und lässt sich nicht mehr in ihre Nähe locken. Den vieren bleibt nichts anderes übrig, als abzuwarten. Sie setzen sich in einiger Entfernung ins Stroh und beobachten die Stute und ihr Fohlen. Aber nichts passiert. Schließlich wird es ihnen langweilig und sie beginnen, sich leise zu unterhalten.

Und dann, als sie einen Augenblick lang nicht hinsehen, passiert es. Andi bemerkt es als Erster. Plötzlich grinst er.

Als sich die anderen umdrehen, möchten sie am liebsten alle rufen: „Es trinkt, es trinkt ganz alleine!"

Und wirklich: Da steht das Fohlen auf seinen langen wackeligen Beinen bei der Mutter und trinkt!

# Opas Geschenk

Ein Tag ohne Carlotta? Das konnte sich Jenny nicht vorstellen. Und auch für Carlotta war ein Tag ohne Jenny undenkbar. Das lag daran, dass sie die allerbesten Freundinnen und beide ganz verrückt nach Pferden waren. Und dass sie im selben Monat Geburtstag hatten: Jenny am 14. Mai und Carlotta am 27. Mai.

Als Jenny ihren achten Geburtstag feierte, lud sie alle ihre Freundinnen und natürlich Carlotta ein. Auf den Einladungskarten stand als Motto „Pferde". Carlotta verkleidete sich als Reitlehrerin und Jenny als Stallbursche.

Das Fest war toll. Sie aßen zusammen
Hufeisen-Kuchen, machten Pferdespiele
und galoppierten durch die Wohnung.
Dann durfte Jenny endlich ihre Geschenke
auspacken. Das größte Paket war von
ihren Eltern. Kaum hatte Jenny es
geöffnet, ließ sie einen Schrei los:
„Jaaaaa!"

„Zeig doch mal her", sagte Carlotta
und griff nach der Schachtel. Dann
ließ sie auch einen Schrei los: „Jaaaaa!"
Das Geschenk war ein Spielzeug-
Reitstall mit zwei großen Boxen, einem
Heuboden, jeder Menge Zubehör und

natürlich mit Pferden. Carlotta und Jenny
hatten den Stall schon oft im Schau-
fenster des Spielwarenladens bewundert.
Und jetzt hatte Jenny ihn zum Geburtstag
bekommen!

„Kommt, wir bauen ihn gleich auf", sagte
Jenny.

„Au ja!", riefen alle.

Sie setzten sich auf den Boden und
beugten sich über die Einzelteile. Schnell
hatten sie den Stall zusammengesetzt
und fingen an zu spielen. Der Nachmittag
verging wie im Flug. Am liebsten hätte
Carlotta den ganzen Abend mit Jenny
und den anderen weitergespielt, aber

schon bald kam ihre Mutter und holte sie ab.

Beim Abendessen erzählte Carlotta begeistert vom Geburtstag ihrer besten Freundin. „Ich will auch so einen Reitstall wie Jenny. Bitte, ich hab doch auch bald Geburtstag!"

Papa tauschte einen Blick mit Mama und seufzte. „Ich weiß nicht."

Und Mama sagte: „Mal sehen."

„Bitte!", sagte Carlotta noch mal. Aber dann blieb ihr nichts anderes übrig, als zu warten. Die Tage bis zu ihrem Geburtstag zogen sich ewig dahin.

Endlich war es so weit. Carlotta wachte schon ganz früh auf und rannte in die Küche. Opa war da, auf dem Kuchen brannten acht Kerzen und auf dem Tisch lag ein großes Geschenk. Carlotta stürzte sich darauf. Ungeduldig zerriss sie das Papier. Aber es war nicht der Reitstall, es war bloß eine leere Kiste aus Holz.

„Was ist das denn?", fragte Carlotta.

Opa lächelte. „Daraus basteln wir einen ganz tollen Reitstall."

„Basteln?", sagte Carlotta. Sie wollte keinen gebastelten Reitstall, sie wollte den echten – genau so einen, wie Jenny hatte.

„Freust du dich?", fragte Mama und Opa sah sie erwartungs-voll an.

Carlotta nickte, aber sie freute sich kein bisschen.

In der nächsten Woche kam Opa jeden Tag und bastelte zusammen mit Carlotta. Zuerst verwandelten sie mit der Laubsäge die Holzkiste in ein Stallgebäude.

Der Stall war groß, aber er sah natürlich ganz anders aus als der von Jenny.

„Ich kümmere mich jetzt um den Heuboden", sagte Opa. „Willst du inzwischen mit einem Pferd anfangen?"

„Hm", sagte Carlotta. Eigentlich hatte sie keine Lust, aber sie wollte Opa nicht enttäuschen.

Aus brauner Knete formte sie einen
Pferdekörper. Dann klebte sie aus
goldener Wolle Mähne und Schweif
daran.

„Toll machst du das", lobte Opa.

„Danke", sagte Carlotta. Das Pferd
sah wirklich nicht schlecht aus. Und
sie wusste auch schon, wie es heißen
würde: Goldfee.

Je länger Carlotta bastelte, umso mehr
Spaß hatte sie daran. Langsam sah die
Holzkiste auch wie ein echter Reitstall
aus. Obwohl er natürlich mit Jennys
tollem Stall nicht mithalten konnte.

Und dann kam der Tag, an dem alles fertig war.

„Willst du nicht Jenny einladen und ihr den Stall zeigen?", fragte Opa.

„Ja, schon ...", murmelte Carlotta und kaute auf ihrer Unterlippe. Was Jenny wohl sagen würde?

Jenny kam und Carlotta führte sie in ihr Zimmer. Jenny starrte den Reitstall mit offenem Mund an.

„Was ist?", fragte Carlotta unsicher. „Er gefällt dir nicht, oder?"

Jenny schüttelte den Kopf. „Doch, und wie! Er ist super. Und die Pferde sind noch schöner als meine. Besonders das mit der goldenen Mähne."

„Das ist Goldfee", sagte Carlotta stolz.
„Lass uns gleich spielen", sagte Jenny.
Carlotta ging zur Tür. „Warte kurz!
Ich hole Opa. Der muss unbedingt mit-
spielen." Dann rannte sie lachend aus
dem Zimmer.

# Jola ist krank

„Jola! Jooooola!", ruft Ben durch den Reitstall und wundert sich.

Normalerweise streckt Jola immer neugierig den Kopf aus ihrer Box und schnaubt Ben zur Begrüßung freudig zu.

Aber heute ist alles anders. Jola steht träge in der Ecke und bewegt sich kaum von der Stelle. Gefressen hat sie fast nichts und ihr Atem geht schwer und langsam.

„Da stimmt was nicht", denkt Ben und gibt sofort Frau Hampel Bescheid. Ihr gehört der Reitstall.

„Du hast recht, Ben", sagt Frau Hampel. „Jola ist ganz heiß. Wahrscheinlich hat sie sich erkältet. Ich rufe gleich den Tierarzt."

Ben nickt. Arme Jola! Ob sie Schmerzen hat? Ben streicht ihr vorsichtig über den Kopf.

Da kommt der Tierarzt. Er untersucht Jola gründlich.

„Ist es was Schlimmes?", fragt Ben.

„Nein, nur eine leichte Erkältung", meint der Tierarzt.

Frau Hampel nickt. „Das hab ich mir gedacht."

Da niest und prustet Jola Ben wie zum Beweis mitten ins Gesicht.

„Frische Luft würde ihr guttun", sagt der Tierarzt. „Und ein bisschen Bewegung. Vielleicht kannst du eine kleine Runde mit ihr ausreiten?"

Klar kann Ben das! Aber zuerst führt er
Jola an den Putzplatz. Ben stellt seine
Putzkiste ab und geht von links an das
Pferd heran.

Er beginnt dicht neben der Pferde-
schulter. Er nimmt als Erstes den Striegel
und entfernt den groben Schmutz. Am
Rücken ist eine verklebte Stelle. Die raut
er vorsichtig auf, holt den Staub an die
Oberfläche und wäscht sie danach mit
dem Schwamm sauber aus.

Ben striegelt Jola vorsichtig. Ob
Pferde auch Kopfschmerzen haben?
Er nimmt heute lieber die Wurzelbürste,

die ist ein bisschen weicher als die übliche
Bürste. Ben darf aber nicht an den Bauch
kommen. Jola ist sehr kitzelig.

Am Schluss bürstet er die Mähne
glatt. Das muss man auch vorsichtig
machen – wie bei einem Mädchen, das
lange Haare hat. Das kennt Ben von
seiner Schwester. Jolas Schweif ist immer
besonders zerzaust, deswegen verliest er
ihn vorher mit der Hand.

Und jetzt kommen noch Augen, Nüstern
und Maul des Pferdes. Er wischt sie mit
einem Schwamm sauber aus.

Ben legt den Sattel vorsichtig auf. Von vorne nach hinten muss man ihn auf den Pferderücken gleiten lassen. Ben geht auf die rechte Seite, nimmt den Sattelgurt und macht ihn auf der linken Seite fest. Danach zieht er den Steigbügel ein.

Das Auftrensen fehlt noch: Die Trense wird Jola über die Ohren gezogen, Nasen- und Kehlriemen werden verschnallt.

Ben sitzt auf und lenkt Jola ganz vorsichtig aus dem Hof. Selbst bei dem geringen Tempo weht ein leichtes Lüftchen. Jola schnauft.

Am Waldrand werden sie von zwei schnellen Reitern überholt.

„Na, ihr Lahmen?", rufen sie und lachen.

„Blödmänner", denkt Ben.

Doch er reitet ruhig weiter, redet Jola gut zu. Er weiß genau, Jola wird bald wieder gesund. Er will mithelfen und sie pflegen. Von Mama bekommt er sogar die Erlaubnis, abends noch mal kurz im Stall vorbeizuschauen.

Ben merkt, dass Jola ein bisschen zusätzliche Fürsorge ebenso guttut wie ihm, wenn er krank ist.

Jola freut sich, dass Ben sich so um sie kümmert. Und am Abend fängt sie sogar langsam wieder an zu fressen.

Nach einer Woche geht's Jola schon viel besser.

Da sagt Frau Hampel zu Ben: „Du hast richtig gut auf Jola aufgepasst. Klasse! Und danke, Ben!"

# Die Pferdezeitung

Hannah, Carolin, Emma und Lina
haben einen Pferdeklub gegründet. Alle,
die Mitglied im Pferdeklub werden wollen,
müssen versprechen, immer gut mit den
Tieren umzugehen und sich gegenseitig
zu unterstützen.

Eines Tages hat Carolin plötzlich
eine Idee: „Wir könnten doch eine Klub-
zeitung machen, in die wir wichtige und
spannende Sachen schreiben, die wir
über Pferde wissen und mit ihnen erlebt
haben."

„Au ja", sagt Emma. „Und wenn die
Zeitung gut ist, verteilen wir sie hier auf
dem Hof."

Genau in dem Moment kommt ihre Reitlehrerin herein. Sie ist begeistert von der
Idee und bietet an, dass der Reitverein
das Kopieren der Pferdezeitung über-
nehmen könnte. Außerdem verspricht
sie, jedes Mal alles durchzusehen.

Am gleichen Nachmittag geht es los.
Mensch, sind sie aufgeregt! Als Erstes
überlegen sie, was in der Zeitung stehen
soll. Sie beschließen, dass es in jeder
Ausgabe eine Spalte über Ereignisse
auf dem Reiterhof und die Pferde des
Stalls geben soll.

Da sie es so witzig finden, dass
Pferde gerne die Tannennadeln von
alten Tannenbäumen mögen und ihnen

erklärt wurde, dass in den Tannennadeln wichtige Mineralstoffe für Pferde sind, wollen sie das in der ersten Ausgabe schreiben. „Tannennadeln als Nahrungs-ergänzung", lautet die Überschrift. Neben dem Artikel soll ein Foto von Sultan zu sehen sein, der ganz verrückt auf die Tannennadeln ist. Er futtert sie, als wären sie aus Zucker.

Außerdem nehmen sich die vier Mädchen vor, der Reihe nach über Berufe zu schreiben, die mit Pferden zu tun haben.

Sie beginnen mit einem uralten Beruf, dem des Hufschmieds. Darauf kommen sie, weil Carolins Opa noch einen Hufschmied kannte, der eine richtige Schmiede im Dorf betrieb. Eine mit einem Feuer und einem Amboss in der Mitte, wo das Metall bearbeitet wurde. Carolins Opa hat ihr erklärt, dass heute der Hufschmied nicht mehr in seiner Schmiede arbeitet, sondern zum Pferd in den Stall kommt. Mit allem, was er zum Beschlagen der Pferdehufe braucht. Dazu bringt er einen Amboss und verschiedene Hufeisen mit.

Bevor er ein Pferd beschlägt, berät
der Hufschmied den Pferdebesitzer.
Es gibt nämlich auch Pferde, die nicht
beschlagen werden. Bei seiner Arbeit
muss der Hufschmied sehr genau sein.
Denn wenn ein Pferd falsche Hufeisen
bekommt, kann es lahmen, sich verletzen
oder Entzündungen bekommen.

Das alles schreiben Hannah, Carolin,
Emma und Lina in die Zeitung. Zum
Schluss kommt noch ein kurzer Artikel
über ein Pferd, das erst seit Kurzem im
Stall steht.

Ein paar Tage später tippen sie alle
Artikel bei Lina zu Hause am Computer
ab. Die Zeitung ist jetzt fast fertig. Sie
muss nur noch kopiert und verteilt werden.
Emma, Carolin und die anderen sind ganz
kribbelig vor Aufregung.

Als die Reitlehrerin am nächsten Tag
mit einem Stapel Zeitungen um die Ecke
kommt, sind die vier Mädchen kaum noch
zu bremsen. Sie laufen über den Hof und
verteilen an alle, die gerade da sind, ihre
erste Pferdezeitung.

Danach geben sie die Zeitung auch an
andere weiter, die an Pferden interessiert
sind. Sogar die Eltern und Großeltern
bekommen eine Zeitung.

Der Opa von Carolin ist richtig stolz
darauf, dass er Carolin angeregt hat,
über den Beruf des Hufschmieds zu
schreiben. Er überlegt schon, ob er
auch für die nächste Pferdezeitung
eine Idee beisteuern kann …

# Überraschung beim Ausmisten

„Hab ich einen Durst!", ruft Lilli und trinkt ihre Wasserflasche in einem Zug aus.

Wie immer nach der Reitstunde sitzt sie mit Kim, Raffael, Janina und den anderen aus ihrer Gruppe zusammen im Reiterstübchen. Zum ersten Mal in diesem Jahr scheint die Sonne so richtig hell durch die Fenster und Lilli genießt die warmen Strahlen mit geschlossenen Augen.

Da hört sie plötzlich eilige Schritte und die forsche Stimme des Pferdepflegers: „Hallo, ihr Faulenzer! Hier hab ich Arbeit für euch."

Lilli macht träge die Augen auf und sieht, wie Robert einen Zettel ans Schwarze Brett heftet.

„Das ist der neue Plan fürs Ausmisten", sagt er und grinst. Dann läuft er pfeifend zurück zum Stall.

Sofort stehen alle auf und versammeln sich ums Schwarze Brett. Jeden Monat gibt es einen neuen Plan. Jeweils zwei Kinder müssen Robert beim Ausmisten helfen. Keiner reißt sich darum, auch Lilli nicht, aber es gehört eben dazu.

Janina steht ganz vorne und ruft laut: „Oh nein! Ich bin gleich morgen dran. Das ist echt so was von gemein!"

Lilli seufzt. Typisch Janina! Sobald es ein bisschen anstrengend wird, macht sie einen Riesenaufstand. Aber beim Reiten drängelt sie sich immer in die erste Reihe, damit auch ja jeder ihre teuren Klamotten bewundern kann.

Neugierig linst Lilli über Janinas Schulter. Da entdeckt sie, dass neben Janinas Namen „Lilli" steht. Na, toll! Sie hat das große Los gezogen und darf sich morgen die ganze Zeit Janinas Gemecker anhören.

„Will zufällig jemand mit mir tauschen?", fragt Janina und klimpert mit ihren langen Wimpern. Doch alle schütteln die Köpfe.

Am nächsten Nachmittag ist Lilli pünktlich im Stall.

Robert wartet schon auf sie. „Hallo, Lilli!", sagt er und drückt ihr einen Rechen in die Hand. „Wo bleibt denn Janina?"

Lilli zuckt mit den Schultern. „Keine Ahnung. Sie kommt sicher gleich."

Dann macht sie sich an die Arbeit. Mit dem Rechen fischt sie die Pferdeäpfel aus dem Stroh und fegt sie aufs Kehrblech. Danach trennt sie mit der Mistgabel das schmutzige vom sauberen Stroh. Robert harkt das Stroh noch mal gründlich durch, um die letzten Schmutzreste zu entfernen.

Am Schluss breiten sie zusammen das frische Stroh auf dem Boden aus. Die erste Box ist fertig.

Als sie hinüber zur zweiten Box gehen, schaut Lilli sich suchend um. Wo ist Janina bloß? Sie müsste längst hier sein.

Robert grinst. „Anscheinend hat Janina heute was Besseres vor, als duftende Pferdeäpfel zu pflücken."

Lilli findet das gar nicht komisch. Bloß weil Janina keinen Bock aufs Ausmisten hat, kann sie sich noch lange nicht einfach so davor drücken. Jetzt bleibt die ganze Arbeit an ihr hängen, das ist echt ungerecht!

„Komm, Lilli", sagt Robert. „Wir müssen weitermachen."

Lilli bleibt nichts anderes übrig. Ohne Janina dauert das Ausmisten doppelt so lange. Als sie endlich fertig ist, tut Lilli der Rücken weh und an der rechten Hand hat sie eine kleine Blase.

„Danke dir", sagt Robert. „Du warst richtig fleißig. Als Belohnung hab ich noch eine Überraschung für dich."

„Eine Überraschung?", fragt Lilli neugierig. Was kann das denn sein?

Robert lächelt geheimnisvoll und führt Lilli zu einer Box im hinteren Teil des Stalls.

Normalerweise wird die Box nicht benutzt, aber jetzt steht plötzlich ein fremdes Pony darin.

„Darf ich vorstellen?", sagt Robert. „Das ist Blümchen, unser neues Schulpony. Es ist heute erst angekommen."

Lilli tritt näher an die Box heran. Blümchen ist total süß. Die pechschwarze Rappstute hat auf der Stirn ein weißes Abzeichen, das wie eine kleine Blume aussieht.

Lilli streckt dem Pony die Hand hin. „Hallo, Blümchen! Na, wie gefällt dir dein neues Zuhause?"

Blümchen schnuppert an Lillis Hand
und schleckt sie ab. Danach schmiegt
sie ihren Kopf an Lillis Schulter.

„Das ist ja Liebe auf den ersten Blick!",
sagt Robert.

Lilli nickt glücklich. „Stimmt." Dann
grinst sie. „Und Janina hat echt was
verpasst!"

# Ausritt mit Folgen

Vanessa und Marie machen heute einen großen Ausritt. Ihr Reitlehrer, Herr Brune, hat ihnen erlaubt, ein paar Stunden wegzubleiben. Vanessa freut sich ganz besonders auf den Ausritt, weil sie heute Wolke reiten darf. Wolke ist nicht nur wunderschön mit ihrem dunkelbraunen Fell und dem weißen Stern auf der Stirn, Wolke schwebt auch regelrecht. Alle Reitschüler reißen sich darum, Wolke reiten zu dürfen.

Es ist ein wunderbarer Morgen. Die
beiden Mädchen galoppieren der Sonne
entgegen, die Wiesen fliegen vorbei.
Juhu! Auf einer Lichtung wollen sie eine
Pause machen, sie haben sogar beide
Proviant dabei.

Vanessa und Marie satteln die Pferde
ab und lassen sie grasen, selber genießen
sie die Sonne und ihre Brötchen. Was für
ein schöner Tag! Doch er geht viel zu
schnell vorbei.

Als sich die beiden auf den Rückweg machen, wird Wolke plötzlich langsam. Außerdem schüttelt sie sich so seltsam.

„Was ist denn los?", fragen sich die beiden Mädchen. Sie tätscheln Wolke vorsichtig. Ausgerechnet Wolke! Jetzt bleibt sie sogar stehen und zittert noch stärker. Die Mädchen bekommen richtig Angst um Wolke.

Da hat Vanessa einen Verdacht. Sie haben nämlich erst neulich im Reitunterricht durchgenommen, dass bestimmte Pflanzen schädlich oder sogar giftig für Pferde sind. „Eibe, Buchsbaum, Goldregen", flüstert sie vor sich hin. „Schöllkraut, Wolfsmilch, Liguster …"

Marie erschrickt. „Meinst du, Wolke hat eine giftige Pflanze gefressen?" Vanessa zuckt mit den Schultern. Sie steigen ab und führen ihre Pferde zum Stall zurück, um Wolke zu schonen.

Vanessa und Marie gehen direkt zu
Herrn Brune. Der sagt nach ihrem Hinweis:
„Es könnte wirklich eine Vergiftung sein,
so wie es Wolke geht. Hat sie, während ihr
Rast gemacht habt, etwas gegessen, was
sie nicht durfte?"

Die beiden gehen in Gedanken noch einmal den ganzen Ausritt durch. Besonders
die Rast. Aber ihnen sind nirgends giftige
Pflanzen aufgefallen.

Da nimmt Marie kurzentschlossen ihr
Fahrrad und sagt: „Ich bin in einer halben
Stunde zurück."

Sie radelt, so schnell sie kann, zu
der Lichtung, auf der sie Rast gemacht
haben. Gut, dass sie im Reitunterricht die
giftigen Pflanzen auch gezeigt bekommen
haben. Marie sieht sich an der Stelle um,
wo die Pferde gegrast haben. Da findet
sie den abgerissenen Zweig einer Eibe.

Das kann doch nicht wahr sein! Sie
bricht ein Stück ab, dann schwingt sie
sich auf ihr Fahrrad und fährt schnell
zurück.

Der Tierarzt ist inzwischen schon bei Wolke. Er sieht sie sich mit besorgter Miene an und gibt ihr eine Spritze.

Vanessa und Marie bleiben bei Wolke, so lange sie können. Wolke schwitzt jetzt stark. Immer wieder trocknen sie sie ab und reden ihr gut zu. Nachts löst sie eine Tierpflegerin ab, die Herr Brune extra für eine Nachtwache bestellt hat. So können die Mädchen einigermaßen beruhigt nach Hause gehen.

Nach zwei Tagen geht es Wolke wieder gut. Was für ein Glück! So erleichtert waren Marie und Vanessa noch nie.

Da fällt Marie etwas ein. Aus einem Buch kopiert sie Fotos der giftigen Pflanzen und hängt sie im Stall ans Schwarze Brett. „Davon können Pferde sich vergiften!", schreibt sie darüber.

Das haben zwar vermutlich alle mal irgendwann gelernt, aber ein bisschen Erinnerung schadet ja nicht.

Sofie kommt aus ihrer Reitstunde
und fragt: „Seid ihr ein Pferdeklub?"

„Nein", sagt Vanessa. „Wir fühlen
uns nur verantwortlich für die Pferde."

„Eigentlich ist das mit dem Klub eine
gute Idee!", sagt Marie und grinst.

Ein paar Tage später machen die frisch
gebackenen Pferdeklub-Mitglieder wieder
einen Ausritt – mit Wolke! Aber dieses
Mal passen sie auf. Und wie!

57

# Was ist Voltigieren?

Es läutet. Endlich Schule aus! Jana und Kiki stürmen aus dem Klassenzimmer.

„Wollen wir heute Nachmittag zusammen schwimmen gehen?", fragt Jana.

„Nee, geht nicht, ich hab Voltigieren", sagt Kiki.

„Du hast was?" Jana versteht kein Wort.

„Vol-ti-gie-ren", wiederholt Kiki laut und deutlich.

„Aha." Jana tut so, als hätte sie jetzt verstanden, worum es geht. In Wirklichkeit aber hat sie keine Ahnung. „Ich dachte immer, du reitest."

„Tu ich ja auch", erklärt Kiki stolz. „Voltigieren bedeutet so viel wie Turnen auf einem Pferd."

Jana sieht Kiki mit großen Augen an. „Ist das nicht total schwierig?"

„Wenn du einen guten Auf- und Abschwung schaffst und keine Angst vor Pferden hast, dann ist es vielleicht mittelschwierig", meint Kiki.

Jana hat aber Angst vor Pferden. Große Angst sogar. Und Turnen mag sie auch nicht. Weil alle anderen immer besser sind als sie. Sofie kann besser Handstand, Lilli spielt super Handball und Kiki tanzt wie eine Eins über den Schwebebalken.

Kiki knufft Jana in die Seite. „Was ist, magst du nicht mal mitkommen?"

Jana bleibt stehen. „Ich weiß nicht …"

„Jetzt komm schon", versucht Kiki ihre Freundin zu überreden. „Nur zuschauen. Dann siehst du auch, dass man vor Pferden keine Angst haben muss."

Jana zögert. „Na gut", sagt sie schließlich.

„Super!" Kiki freut sich. „Wir treffen uns um halb drei bei mir."

Als die beiden am Nachmittag in den Stall kommen, würde Jana am liebsten sofort wieder umkehren. Ihr ist ganz flau im Magen.

Kiki gibt einem der Pferde einen Apfel.

„Das ist Tino, unser Voltigierpferd", erklärt sie. „Wenn du Lust hast, können wir ihn zusammen striegeln."

Jana beißt sich auf die Lippen.

„Keine Angst, Voltigierpferde sind

besonders ausgeglichene Tiere",
erklärt Kiki.

Tino ist schön, grau mit schwarzer
Mähne. Und gefährlich sieht er tatsächlich nicht aus.

Jana hilft Kiki, Tinos Fell zu bürsten,
seine Hufe auszukratzen und ihm den
Voltigiergurt anzulegen.

„Fertig", meint Kiki. „Und, war doch
gar nicht so schlimm, oder?"

Jana schüttelt den Kopf. Tino ist wirklich ganz lieb.

Die Stunde beginnt. Bei der Aufwärmübung darf Jana mitmachen. Sie spielen Fangen. Alle haben Sportsachen an, Gymnastikschuhe, zwei Mädchen sogar einen Gymnastikanzug.

Jetzt klatscht Bettina, die Trainerin, in die Hände: „Auf zu unseren Pferden."

Sie nimmt Tino an die Longe. Das ist ein Seil, an dem das Pferd im Kreis herumläuft. Jana schaut gespannt zu.

Als Erstes üben Kiki und die anderen den Aufsprung. Der klappt nur bei zweien, Kiki muss es noch einmal versuchen. Danach üben sie den freien Grundsitz. Dann kommt die Mühle. Alle Übungen haben schöne Namen. Ein Mädchen schafft sogar die Wende nach innen! Da springt man wie bei einem Barren in der Turnhalle über das Pferd. Es sieht sehr, sehr schön aus, findet Jana und staunt.

Schon ist die Stunde zu Ende. Mensch, ging das schnell! Bettina bespricht, was die Mädchen zu Hause üben können. Kiki soll Gleichgewichtsübungen machen. Bettina zeigt sie ihr.

„Okay, Mädels", ruft Bettina und klatscht in die Hände. „Ich freue mich auf nächste Woche!"

Dann dreht sie sich zu Jana um. „Und?
Hat es dir gefallen?"

„Und wie", sagt Jana. „Aber ich bin nicht
so gut in Sport."

„Das kann man üben", sagt Bettina.
„Hauptsache, du hast Spaß daran. Das
ist das Allerwichtigste! Das andere kommt
meist von selbst."

Auf dem Nachhauseweg sagt Jana zu Kiki: „Ich glaube, nächstes Mal komme ich wieder mit."

Da freut sich Kiki total. „Und du brauchst auch nur Schlappen und einen Gymnastikanzug."

„Hab ich schon. Und außerdem überhaupt keine Angst mehr." Jana strahlt.

# Der bockige Ottokar

Ritter Hunold freute sich riesig auf
das große Turnier! Drei Tage und zwei
Nächte war er jetzt schon mit seinem
Pferd Ottokar unterwegs. Am Abend
des dritten Tages sah er endlich Burg
Löwenstein vor sich.

„Komm, Ottokar, lauf!", spornte er sein
Pferd an. Aber Ottokar blieb einfach
stehen.

„Was soll das?", rief Hunold. „Wir sind
doch gleich da!"

Ottokar schnaubte empört, rupfte sich
ein Grasbüschel vom Wegesrand und
kaute genüsslich darauf herum.

Hunold stöhnte. Ottokar war zwar
das beste Turnierpferd weit und breit,
aber leider auch der bockigste Hengst,
den man sich vorstellen konnte. Hunold
musste wohl oder übel absteigen. Müh-
sam quälte er sich samt Rüstung aus dem
Sattel und nahm die Zügel in die Hand.

„Bitte sei brav und komm jetzt", lockte
er Ottokar. „Der Stall wartet schon auf
dich. Du bekommst auch eine Extra-
portion Heu!"

Als Ottokar das Wort „Heu" hörte,
spitzte er die Ohren und trabte los.
Hunold fiel ein Stein vom Herzen. Kurz
darauf erreichten sie die Burg. Im Hof

wimmelte es von Rittern und Pferden.
Aus allen Himmelsrichtungen waren die
Ritter angereist, um am nächsten Tag
gegeneinander zu kämpfen. Zwei Ritter
kannte Hunold bereits von früheren
Turnieren.

„Hallo, Wernfried, hallo, Gernot!",
begrüßte er seine Freunde.

„Schön, dich zu sehen", sagte Gernot
und klopfte ihm auf die Schulter. „Bis
gleich beim Ritterfest!"

Hunold nickte. „Ich bringe nur noch
schnell mein Pferd in den Stall."

„Alles klar", sagte Wernfried. Dann
ging er mit Gernot zum Lagerfeuer.

Hunold streckte die Nase in die Luft. Hmm, das roch ja herrlich nach gegrilltem Fleisch! Hunold hatte einen Bärenhunger. Am liebsten hätte er sofort einen ganzen Ochsen verdrückt.

„Komm, Ottokar, ab in den Stall!", rief er. Aber Ottokar legte die Ohren an und blieb stehen.

„Nicht schon wieder!", stöhnte Hunold. „Bitte, geh jetzt in den Stall!"

Ottokar rührte sich keinen Millimeter.

Langsam wurde es Hunold peinlich. Ein paar Ritter schauten ihn schon komisch an. Da holte er eine Karotte aus seinem Beutel und hielt sie Ottokar vor die Nase. „So, hier hab ich einen Leckerbissen für dich."

Ottokar wollte nach der Karotte schnappen, aber Hunold zog sie geschickt wieder weg und lief ein paar Schritte voraus. Sein Trick funktionierte. Ottokar folgte ihm. So schaffte Hunold es, ihn doch noch in den Stall zu locken. Und dort bekam Ottokar endlich seine Karotte. „Hier ist noch Heu für dich", sagte Hunold. „Extra viel, wie versprochen."

Ottokar hatte die Karotte ruck, zuck verputzt und stürzte sich hungrig auf das Heu.

„Bis morgen", sagte Hunold und lief schnell zum Lagerfeuer. Sein Magen knurrte inzwischen wie ein Rudel Wölfe. Die Ritter saßen schon alle im Kreis.

„Wo warst du denn so lange?", fragte
Wernfried. „Bist du etwa im Stall einge-
schlafen?"

Hunold wurde rot. „Quatsch! Lasst uns
endlich was essen!"

Das ließen sich Gernot und Wernfried
nicht zweimal sagen. Die drei Freunde
säbelten sich große Stücke vom Ochsen
am Spieß. Dazu gab es leckeren Honig-
wein. Die Stimmung war klasse, sie
feierten und sangen Ritterlieder. Hunold
konnte zwar nicht gut singen, aber er
grölte trotzdem begeistert mit.

Plötzlich gab Wernfried ihm einen Stoß in die Rippen. „Ist das da drüben nicht dein Pferd?"

Hunold hob den Kopf. Tatsächlich: Da stand Ottokar, umringt von neugierigen Rittern!

Schnell sprang Hunold auf. „Was machst du denn hier? Los, sofort zurück in den Stall!"

Aber Ottokar hatte keine Lust auf Stall. Verzweifelt überlegte Hunold, was er tun sollte.

Da sagte Gernot: „Lass ihn! Er kann doch mitfeiern."

„Ja, warum nicht?", sagte Wernfried. „Ein Ritterfest mit Pferd, das ist endlich mal was Neues." Die anderen Ritter hatten auch nichts dagegen.

Hunold musste lachen. „Also gut, Ottokar! Du darfst mitfeiern, aber nur heute, hörst du?"

Die Ritter stimmten ein Lied an und Ottokar wieherte fröhlich mit – lautstark und genauso falsch wie Hunold.

# Michi will wirklich richtig reiten

Michi ist furchtbar aufgeregt. Morgen ist sein Geburtstag. Und Michi hat eine Wunschliste, die bis zum Mars reicht. Na ja, fast!

„Ich möchte Reitstiefel, eine Reitkappe und eine Reithose. Eine Reitweste brauche ich auch. Und natürlich Reitstunden. Von Oma wünsche ich mir noch einen Putzkasten."

„So, so", sagt Mama und lacht. „Ist das nicht ein bisschen viel auf einmal?"

Ja, Mama hat recht. Das weiß Michi ganz genau. Aber was soll er machen? Die Wünsche sind doch da. Die kann er nicht einfach so wegzaubern. Und Papa und Mama können die Reitstunden nicht hinzaubern.

Am nächsten Morgen ist Michi ganz früh wach. Er liegt in seinem Bett und kann es kaum mehr erwarten.

Da geht die Tür auf. „Zum Geburtstag viel Glück …", singen Papa und Mama. Dann darf Michi die Kerzen auf seinem Geburtstagskuchen auspusten. Er schafft alle neun auf einmal!

„Kann ich jetzt meine Geschenke auspacken?", fragt Michi.

„Später", meint Mama.

„Wir machen einen Ausflug zum Reiterhof Eppels, der hat heute *Tag der offenen Tür*", sagt Papa.

„Ich darf reiten?" Michi ist mit einem
Satz aus dem Bett.

Kurze Zeit später radeln die drei los.

Der Reiterhof Eppels ist einer der
größten Reiterhöfe in der ganzen Gegend.
Dort gibt es auserlesene Dressurpferde,
aber auch eine sehr schöne Abteilung für
die Kleinen mit Ponys und Ställen und
Pferdewiesen und Putzplätzen neben
dem Stallgebäude.

In der Reithalle sind gerade Vor-
führungen. Eine Voltigiergruppe zeigt
ihr Können. Sie haben gestern alle ihr
„Kleines Hufeisen" gemacht.

In der Voltigiergruppe entdeckt Michi
Luisa aus seiner Klasse. Er winkt ihr zu.

„Hallo, Michi", begrüßt Luisa ihn nach
der Vorführung und geht mit ihm zu Beate,
die die Gruppe führt. „Hier ist der Super-
turner aus unserer Klasse, der wäre
bestimmt ein guter Voltigierer."

„Willst du auch mal?", fragt Beate.

Und weil heute *Tag der offenen Tür*

ist, kann Michi sofort. Aber Michi will nicht. Voltigieren ist Mogelreiten. Michi will aber richtig reiten.

„Voltigieren ist eine prima Vorschule zum Reiten", erklärt Beate. „Du bekommst ein Gefühl für die Pferde und die Pferde gewöhnen sich langsam an dich."

Michi schaut fragend zu Papa und Mama. Sie nicken ihm aufmunternd zu. Vielleicht will er ja doch.

Michi ist wirklich ein super Turner und ein guter Voltigierer. Das sieht Beate auf den ersten Blick. Den Aufschwung schafft Michi mit links. Mensch, das macht ja richtig Spaß! Und geht viel zu schnell vorbei.

Aber Beate muss weiter. Zur nächsten Aufführung. Der Reiterhof hat nämlich auch eine Voltigiergruppe mit Behinderten. Damian ist einer, der ganz schlecht laufen kann. Aber dafür kann er prima voltigieren, findet Michi.

Doch dann stürzt Damian beinahe vom Pferd. Michi ist sofort da und hilft ihm.

Er bleibt einfach bei Damian, gibt ihm die Hand, läuft neben dem Pferd her und redet ihm gut zu.

Damian strahlt. „D…d…anke", stottert er.

„Super, Michi", freut sich Beate. „Das hast du toll gemacht! So jemanden wie dich könnte ich gut gebrauchen. Meinst du, du kannst mitmachen bei uns – als Helfer?" Sie zögert und fügt hinzu: „Ich könnte dir als Bezahlung eine Reitstunde pro Woche vermitteln."

„Au ja!" Michi ist begeistert. Das Helfen
hat ihm so schon Spaß gemacht. Und
mit der Aussicht auf echte Reitstunden
natürlich noch viel, viel mehr.

Als sie zurückradeln, sagt Michi zu
Papa und Mama: „Ich glaube, das wird
in diesem Jahr der beste Geburtstag
aller Zeiten."

„Wir sind stolz auf dich", sagt Mama.

„Nein, der beste Geburtstag aller, aller Zeiten", sagt Michi und kann die Tage bis zum nächsten Voltigieren und Helfen und natürlich auch bis zu seiner ersten Reitstunde kaum abwarten.

Als sie zu Hause sind, packt Michi endlich seine Geschenke aus. Von Papa und Mama bekommt er eine Reitkappe und von Oma einen Putzkasten. Jetzt kann es wirklich losgehen!

# Kein Tag ohne Pferde

Sandra, Luzy und Franzi sind echte Pferdenarren. Sie werden von allen nur „der Pferdeklub" genannt, weil sie jeden Tag im Pferdestall sind. Doch irgendwie scheint es ihre Eltern zu stören, dass ihre Töchter jeden, aber wirklich jeden Tag so viel Zeit wie eben möglich im Stall verbringen. Luzy wollte sogar nicht mit ihrer Familie in den Urlaub fahren, weil sie dann fast drei Wochen lang nicht ihre Pferde sehen konnte.

Deshalb haben sich ihre Eltern etwas ausgedacht: Die drei Mädchen sollen ab sofort einen Nachmittag pro Woche ohne Pferde verbringen.

„Wenn ihr das überhaupt noch könnt", hat Luzys Vater gesagt.

„Kein Problem", haben sie geantwortet und sich für heute in der Stadt zum Eisessen verabredet.

Während sie über ihren Eisbechern sitzen
und löffeln, unterhalten sie sich natürlich
nur über ihr Lieblingsthema: Pferde. Franzi
hat einen neuen, massierenden Striegel,
den Himmelsfee richtig zu genießen
scheint. Sandra hat schicke Pferdefrisuren
in einem neuen Buch entdeckt. Und Luzy
erzählt, dass ein Mädchen aus dem Stall
bald ein eigenes Pferd bekommen soll.

Klar, dass sie da alle ein bisschen neidisch sind. Wenigstens hat jede von ihnen ein Pflegepferd. Das ist nicht so selbstverständlich, denn dafür müssen die Besitzer des Pferdes einem vertrauen und wissen, dass man gut mit Pferden umgehen kann.

Sie reden, schwärmen und erzählen, bis plötzlich Ben aus ihrer Klasse vor ihnen steht und fragt: „He, was macht ihr denn hier? Der Pferdeklub gehört doch in den Stall!"

Ben! Der nervt! Er ist auch der, der
immer Witze macht wie: „Geht doch in
ein Pferde-Internat, da sitzen sogar Pferde
mit in der Klasse." Und jetzt müssen sie
sich schon Sprüche anhören, wenn sie
*nicht* im Stall sind!

Das Eis ist schon lange aufgegessen.
Die Mädchen bezahlen und stehen auf.

„Na also", sagt Sandra. „Wir haben es
geschafft, einen Tag lang ohne Pferde
auszukommen. Ich wusste ja, dass es
kein Problem sein würde!" Und sie
verabschieden sich bis morgen.

Doch auf dem Heimweg denkt Luzy:
„Ich fahr eben noch zum Stall." Gleich-
zeitig beschließt Sandra: „Ich fahr eben
noch zum Stall." Und Franzi sitzt auf
ihrem Fahrrad und denkt: „Ich fahr
eben noch zum Stall."

Als Erste trifft Sandra ein, sie lehnt ihr
Fahrrad an die Hofmauer, schleicht ganz
leise in den Stall und schaut, ob auch
keiner sie sieht.

Dann kommt Luzy, die stutzt schon, als
sie Sandras Fahrrad sieht, schleicht dann
aber in die gleiche Richtung.

Und als Letzte fährt Franzi auf den Hof.
Sie sieht die Fahrräder, sieht die anderen
beiden in den Boxen neben ihren Pferden
und ruft fröhlich durch den ganzen Pferdestall: „Wir können halt nicht anders, wir
sind ja auch der Pferdeklub! Kein Tag
ohne Pferde!"

# Spuk im Stall

Amelie liegt mit offenen Augen im Bett und kann nicht einschlafen. Kein Wunder! Der erste Tag der Reiterferien war einfach zu aufregend. Sie hat die Ponys kennengelernt und ist zum ersten Mal geritten.

Mit Marie und Hanna teilt sie sich nun ein wunderschönes Zimmer. Und morgen früh dürfen die drei beim Ausmisten helfen. Amelie kann es kaum erwarten.

Sie wälzt sich im Bett herum und versucht zu schlafen, aber es geht einfach nicht. Schließlich steigt sie leise aus dem Bett. Auf Zehenspitzen schleicht sie zum Fenster. Unten im Hof ist es ruhig und dunkel. Längst schlafen alle, nur der Mond ist noch wach. In der Ferne läutet die Kirchenglocke zwölfmal: Mitternacht!

Plötzlich zuckt Amelie zusammen. Drüben im Stall flackert ein Licht. Es bewegt sich! Was ist das? Etwa ein Gespenst?

Amelie atmet tief durch. Bestimmt hat sie sich alles nur eingebildet. Doch dann schaut sie noch mal genauer hin. Das seltsame Licht ist immer noch da. Es schwebt hin und her. Das kann nur ein Gespenst sein!

Amelie überlegt fieberhaft. Was soll sie bloß tun? Zum Stall rübergehen und nachsehen? Nie im Leben! Marie und Hanna wecken? Die würden sie sicher auslachen. Egal, und wenn schon!

Doch als Amelie die beiden wecken will, verschwindet das Gespenst plötzlich.

Im Stall ist es wieder dunkel. Amelie wartet eine Weile, aber das Gespenst kehrt nicht zurück. Da schlüpft sie ins Bett und kuschelt sich tief unter die Decke. Ihr Herz galoppiert wie verrückt und sie braucht lange, bis sie endlich einschläft.

Als Amelie am nächsten Morgen mit Marie und Hanna die Boxen ausmistet, erzählt sie ihnen von dem Spuk.

„Ein Gespenst im Stall?", fragt Marie. „Das glaub ich nicht!"

„Du hast bestimmt nur geträumt", sagt Hanna.

Amelie schüttelt den Kopf. „Hab ich nicht! Bleibt heute Nacht mit mir auf, dann werdet ihr es ja sehen."

Marie und Hanna sehen sich zögernd an. „Okay", sagt Hanna schließlich. „Da bin ich ja mal gespannt."

Den ganzen Tag ist Amelie aufgeregt. Endlich wird es Nacht und alle gehen ins Bett. Alle bis auf Amelie, Marie und Hanna. Zu dritt stellen sie sich ans Fenster und starren zum Stall hinüber. Alles ist dunkel. Aber dann, nach etwa zehn Minuten, flackert plötzlich das Licht im Stall und schwebt hin und her.

„Das Gespenst!", flüstert Marie. Hanna
nickt und greift schnell nach ihrer Hand.

Amelie nimmt all ihren Mut zusammen
und fragt leise: „Wollen wir mal nachsehen? Ich hab eine Taschenlampe
dabei." Marie und Hanna werden blass,
aber sie nicken tapfer.

„Okay", sagt Amelie. „Dann nichts wie
los!"

Schnell schlüpfen sie in ihre Kleider
und schleichen aus dem Zimmer. Amelie
hat butterweiche Knie. Die Mädchen
flitzen über den Hof. Je näher sie dem
Stall kommen, umso schneller klopft
Amelies Herz.

„Du zuerst", flüstert Hanna und schiebt Amelie vor.

Im Stall ist es stockdunkel. Doch ganz hinten bei der letzten Box flackert Licht. Todesmutig geht Amelie mit ihrer Taschenlampe auf das Gespenst zu. Hanna und Marie folgen ihr ganz vorsichtig. Plötzlich bleibt Amelie stehen. Vor ihr steht Lasse, der Pferdepfleger, mit einer Stalllaterne in der Hand. Das ist also das Gespenst!

„Was macht ihr denn hier?", fragt Lasse flüsternd. „Ihr solltet doch längst im Bett sein."

„Wir haben ... äh ...", stammelt Marie.

„Psst!", macht Lasse. „Nicht so laut!
Dunja hat gerade ihr Fohlen bekommen."

Erst jetzt sehen die Mädchen die Stute.
Neben ihr im Stroh liegt ein kleines
dunkelbraunes Fohlen.

„Wie süß!" Marie ist begeistert.

„Sein Fell ist ja noch ganz feucht", sagt
Hanna leise.

Aufgeregt zeigt Amelie auf das Fohlen.
„Seht nur, jetzt steht es auf!"

Das Fohlen wackelt hin und her, bis es einigermaßen sicher auf seinen dünnen Beinen steht. Gleich darauf sucht es bei seiner Mutter nach Milch. Schon bald hat es die richtige Stelle gefunden und fängt an zu trinken. Amelie, Hanna und Marie sehen gebannt zu.

Da fragt Lasse plötzlich: „Wie habt ihr eigentlich geahnt, dass Dunja heute Nacht ihr Fohlen bekommen würde?"

Amelie wird rot. „Äh … keine Ahnung. Wir wussten es einfach!"

# Die letzte Rettung

Emma, Jasper und Helene konnten
gar nicht genug bekommen vom Reiten.
Aber manchmal brauchten sogar sie
eine kleine Pause. Dann gingen sie zu
ihrem Lieblingsplatz, dem Heuboden.
Vom Stall aus konnte man über eine
Leiter hochklettern. Dort oben duftete
es herrlich nach Heu und es war
supergemütlich.

Auch heute lagen die drei Freunde
wieder im Heu, kitzelten sich gegenseitig mit Strohhalmen und guckten
hinauf zum Dach. An ein paar Stellen
blinzelte die Sonne durch, dort, wo
das Dach undicht war. Der Ponyhof
war nämlich schon ziemlich alt. Emma,
Jasper und Helene dösten gerade ein
bisschen vor sich hin, als sie unter sich
plötzlich Schritte und Stimmen hörten.

„Ist es wirklich so ernst?", fragte Kathrin.

„Ja, leider", sagte Herr Leinisch.

Die Reitlehrerin und der Besitzer des
Ponyhofs blieben unter dem Heuboden
stehen. Emma, Jasper und Helene
rührten sich nicht und lauschten.

„Der Stall müsste dringend renoviert
und das Dach erneuert werden", sagte
Herr Leinisch. „Aber ich weiß einfach
nicht, wo ich das Geld hernehmen soll.
Es reicht sowieso schon hinten und
vorne nicht."

„Und was werden Sie jetzt tun?", fragte
Kathrin.

Herr Leinisch seufzte. „Wenn ich das
wüsste! Ich bin am Ende. Wahrscheinlich

bleibt mir nichts anderes übrig, als den Ponyhof aufzugeben und die Ponys zu verkaufen."

„Das wäre ja schrecklich!", sagte Kathrin und seufzte. Dann gingen die beiden weg.

Emma, Jasper und Helene sahen sich entsetzt an.

„Er will den Ponyhof schließen?", rief Jasper. „Das kann er doch nicht machen!"

„Dann können wir nicht mehr reiten", flüsterte Emma. „Und unsere Ponys sehen wir auch nie wieder."

Helene sprang auf. „Das dürfen wir nicht zulassen! Wir müssen etwas dagegen unternehmen."

Jasper nickte. „Wir müssen Geld
sammeln. Vielleicht könnten wir in der
Reitstunde mein Sparschwein herum-
gehen lassen."

Emma schüttelte den Kopf. „Das reicht
nicht. Da müssten wir schon im Lotto
gewinnen."

„Oder eine Bank ausrauben", sagte
Helene. Jasper und Emma lachten.

Dann wurde Jasper wieder ernst.
„Irgendeine Lösung muss es doch
geben."

Plötzlich rief Helene: „Ich hab's! Wir
machen ein großes Reiterfest, mit Essen
und Trinken, Reiterspielen und einer
Tombola."

„Ja, genau", sagte Emma. „Und das Geld bekommt Herr Leinisch, damit er den Stall reparieren kann."

Tolle Idee! Das mussten sie sofort Kathrin erzählen. Sie fanden die Reitlehrerin in der Sattelkammer.

„Wir müssen dir was Wichtiges sagen!", rief Helene aufgeregt. Und schon sprudelte sie los.

Kathrin hörte mit großen Augen zu. „Super, das ist die Lösung! Am besten machen wir das Fest gleich nächsten Samstag. Wenn wir alle zusammen helfen, schaffen wir es bestimmt."

„Aber Herr Leinisch darf nichts davon erfahren", sagte Jasper. „Es soll eine Überraschung sein."

Kathrin legte den Finger an die Lippen. „Das bleibt unser Geheimnis, großes Ehrenwort!"

In den nächsten Tagen gab es viel zu tun. Alle packten mit an, bastelten und sammelten für die Tombola und die Verkaufsstände. Einige Mütter backten leckere Kuchen und eine Gruppe probte für eine Reiternummer. So kamen sie gut voran. Zum Glück

war Herr Leinisch viel unterwegs und bemerkte nichts von den Vorbereitungen für das große Reiterfest.

Am Samstag war es dann endlich so weit! Um Punkt drei Uhr holte Kathrin Herrn Leinisch aus seinem Büro.

„Was ist denn los?", fragte er verwundert.

Kathrin lächelte. „Herzlich willkommen zu unserem Fest! Alles, was wir heute ein-nehmen, bekommen Sie für Ihren Stall."

Es waren viele Leute aus dem Dorf gekommen und fast alle Kinder vom Ponyhof hatten ihre Eltern mitgebracht.

Herr Leinisch war ganz gerührt. „Danke, danke! Aber das ist ja … das ist …"

„… eine super Idee von Emma, Jasper und Helene", sagte Kathrin und klatschte in die Hände. „Und jetzt wünsche ich euch allen viel Spaß!"

Schnell flitzten Emma, Jasper und Helene zu ihrem Stand.

„Kauft Lose bei uns!", rief Emma. „Kommt zu unserer Tombola!"

„Hier gibt es tolle Gewinne!", rief Jasper. „Der Hauptgewinn ist ein Gutschein für Reitstunden auf dem Ponyhof."

Neugierig kamen die Leute zum Stand.

Die Lose verkauften sich wie verrückt.

Plötzlich stand Herr Leinisch vor ihnen. „Kann ich auch ein Los haben?"

„Natürlich", sagte Helene und hielt ihm die Losbox hin.

Herr Leinisch faltete sein Los auf. „Unglaublich! Das ist ja der Hauptgewinn!", rief er. „Den schenke ich euch als Belohnung für eure tolle Idee."

Emma, Jasper und Helene konnten es erst gar nicht glauben. Aber dann fielen sie sich vor Freude um den Hals.

# Drei Streithähne

Julia, Suse und Nina haben sich vor einem Jahr beim Voltigieren kennengelernt. Jeden Mittwoch treffen sie sich beim Training. Julia und Nina sind immer schon früh da, Suse kommt meistens zu spät.

„Mensch, wo bleibt die denn?" Nina schaut auf die Uhr.

„Keine Ahnung", sagt Julia. „Aber wenn wir noch länger warten, fangen die anderen ohne uns an."

Nina nickt. „Lass uns Lexi schon mal von der Weide holen."

Die beiden führen ihr Voltigierpferd in die Stallgasse und fangen an, es zu putzen und zu striegeln.

„Lexi ist so ein liebes Pferd", schwärmt Nina. „Und was für ein schönes weißes Fell sie hat!"

Nina streicht Lexi über die Mähne. Lexi schnaubt zufrieden. Das mag sie ganz besonders gern.

Endlich kommt Suse angeradelt. „Von Warten habt ihr wohl auch noch nichts gehört!", schimpft Suse.

„Ach", stichelt Nina. „Erst zu spät kommen und dann meckern."

„Genau", stimmt Julia ihr zu.

„Ihr seid so doof pingelig", meint Suse und zieht den beiden ein Gesicht.

Da kommt Silke, ihre Trainerin.

„Wo bleibt ihr denn?", fragt sie ungeduldig. „Wir fangen gleich an. Außerdem soll Lexi ja keinen Schönheitswettbewerb gewinnen."

Nina wirft Suse einen bitterbösen Blick zu. Und Suse? Die streckt Nina einfach die Zunge raus. „Bäääh."

Die Stunde beginnt. Zuerst machen sie ihre Lockerungsübungen. Das ist wie beim Sport in der Schule. Suse stößt dabei aus Versehen Julia an.

„He, kannst du nicht aufpassen?"

„War doch keine Absicht", mault Suse grimmig.

Als Nächstes kommen die Übungen auf dem Pferd. Da Nina, Julia und Suse heute überhaupt nicht aufeinander eingestellt sind, kommen sie sich dauernd in die Quere. Nichts klappt. Alle schimpfen durcheinander. Und dann fällt Suse auch noch hin.

„Mann, Suse", ruft Nina ärgerlich. „Geh doch einfach. Du störst!"

„Jetzt reicht's mir aber", ruft Silke
und klingt dabei richtig böse. „Für euch
alte Streithähne ist die Stunde zu Ende!
Beim Voltigieren muss man miteinander
arbeiten – nicht gegeneinander. Ich
dachte, ihr seid ein Team?"

Aller Protest hilft nichts. Silke bleibt
hart. Nina, Julia und Suse müssen gehen.
Mit hängenden Köpfen ziehen die drei
Mädchen ab. Eigentlich sind sie ja ein
Team. Ein richtig gutes sogar.

„Die anderen sind bald so gut wie
wir", murmelt Nina.

„Ja, heute haben wir es echt
vermasselt", sagt Julia kleinlaut.

„Dann machen wir es nächstes
Mal eben besser", meint Suse. „Und
ich komme auch nicht mehr zu spät.
Versprochen!"

Die Mädchen geben sich die Hand.
Und radeln zusammen nach Hause.

# Das weiße Zauberpferd

„Springen ist einfach toll!", rief Romy nach der Reitstunde, als alle ihre Ponys in den Stall zurückbrachten.

„Das finde ich auch", sagte Daniel. „Hoffentlich machen wir das jetzt ganz oft."

Nur Paula sagte nichts. Stumm führte sie Juri in seine Box.

Da fragte Romy plötzlich: „Warum bist du heute eigentlich nicht gesprungen?"

Paula biss sich auf die Lippen. „Weiß nicht ... Keine Lust", murmelte sie.

In Wirklichkeit hatte sie sich einfach nicht getraut zu springen. Zum Glück fragte Romy nicht weiter. Paula trödelte absichtlich und fing an, Juri einen Zopf in die Mähne zu flechten.

„Tschüs, bis nächste Woche!", rief Daniel.

„Tschüs", sagte Paula leise.

Und schon waren Daniel, Romy und die anderen weg. Im Stall war es auf einmal ganz still. Paula streichelte Juris Mähne, aber er drehte seinen Kopf weg. Bestimmt war er sauer, weil er als Einziger nicht springen durfte. Paula seufzte.

Traurig drehte sie sich um und wollte nach Hause gehen. Doch nach ein paar Schritten blieb sie wie angewurzelt stehen. In der Box neben der Stalltür wurde es plötzlich strahlend hell. Eine weiße, glitzernde Wolke wirbelte dort herum. Paula blinzelte. Jetzt drehte sich die Wolke langsamer. Und dann sah Paula, dass es gar keine Wolke war.

Es war ein schneeweißer Schimmel mit
silbernen Glitzersternen in der Mähne!

Paula ging zögernd auf ihn zu und
stammelte: „W...wer bist du?"

Das Pferd sah sie mit seinen sanften,
hellblauen Augen an und Paula hörte
eine leise Stimme. Das Pferd konnte
sprechen! „Ich bin Merlin, dein Zauberpferd. Ich bin gekommen, weil du mich
brauchst."

„Ich ... brauche dich?", fragte Paula
verwirrt.

Merlin nickte. „Ja, ich denke schon.
Oder hast du keine Lust, auf mir zu
reiten?"

„Doch", murmelte Paula.

Merlin schnaubte leise. „Das freut mich. Also, worauf wartest du noch?"

Paula zögerte. Der Schimmel war riesig. Wie sollte sie da bloß hinaufkommen?

„Keine Angst", beruhigte Merlin sie.

Paula stellte sich neben ihn und griff mit einer Hand in seine Mähne. Und bevor sie Schwung holen konnte, wurde sie von einer unsichtbaren Kraft hinaufgehoben.

„Bist du bereit?", fragte Merlin.

„Äh … ja", sagte Paula.

Da lief Merlin los. Als er zur Stalltür
kam, ging sie von selbst auf. Merlin
trat hinaus ins Freie. Draußen wurde
es schon dunkel und auf dem Reiterhof war niemand mehr zu sehen. Merlin
trabte auf den Feldweg hinaus, dann
fiel er in Galopp. Paula schielte ängstlich
nach unten und klammerte sich an seine
Mähne. Aber nach einer Weile merkte
sie, dass das gar nicht nötig war. Merlin
galoppierte wunderbar weich und sanft.
Er wurde schneller und schneller.

Seine Hufe berührten kaum noch
den Boden. Und plötzlich hoben sie ab!
Paula griff wieder in Merlins Mähne. Der
Schimmel stieg immer höher hinauf in die
Luft. Er konnte fliegen!

Paula kniff die Augen zu. Gleich würde
sie hinunterfallen! Aber sie fiel nicht. Im
Gegenteil, sie saß so sicher auf Merlins
Rücken wie in einem kuscheligen Sessel.
Flog sie wirklich oder träumte sie das
alles nur?

Aber der kühle Wind, der um ihre Nase wehte, war kein Traum. Nach einer Weile traute sich Paula, die Augen wieder aufzumachen.

„Na, wie gefällt dir die Aussicht?", fragte Merlin.

Paula sah sich um. Unter ihr lagen die Felder und Wälder wie eine karierte Tischdecke. Alles war so winzig! Paula spürte, wie ihr Herz ganz leicht wurde. Auch ihre Sorgen waren auf einmal ganz winzig.

„Es ist wunderschön", rief sie und jubelte: „Juchuu!"

Merlin wieherte fröhlich mit. Nach einer Weile, die Paula wie eine Ewigkeit vorkam, kehrten sie zum Reiterhof zurück.

Paula merkte es kaum, als Merlins
Hufe wieder den Boden vor dem Stall
berührten. Mit zitternden Knien stieg sie
ab und lehnte sich an Merlins Hals.

„Danke!", flüsterte sie glücklich.

„Gern geschehen", sagte Merlin. „Bis
bald und viel Glück beim Springen!"

„Woher weißt du das?", fragte Paula.

Doch da hatte sich Merlin schon
wieder in eine Glitzerwolke verwandelt.
Die Wolke drehte sich schneller und
schneller, bis sie sich auflöste. Paula
starrte auf die Stelle, an der Merlin eben
noch gestanden hatte. Er war weg, spur-
los verschwunden, aber auf dem Boden
glitzerte etwas. Paula hob es auf. Es war
ein silberner Stern aus Merlins Mähne.

Schnell schob sie ihn in ihre Hosentasche. Dann ging sie in den Stall zu Juris Box und flüsterte ihm ins Ohr: „Nächste Woche springen wir, versprochen!"

# Wo ist Luzie?

„Und denkt dran: Niemand reitet allein aus, verstanden?" Herr Lohmann, der Reitstallbesitzer, schaut alle der Reihe nach eindringlich an. „Es will doch keiner von euch früher nach Hause fahren, oder?"

Luzie, Laura, Caro und Mimi schütteln schnell den Kopf. Nein, das wollen sie nicht! Die Reiterferien fangen ja gerade erst an und die Mädchen haben in den nächsten zwei Wochen noch jede Menge vor: Ponys versorgen, Stall ausmisten und sich nachts auf dem Heuboden Gruselgeschichten erzählen! Die vier verstehen sich prima, obwohl sie sich erst hier auf dem Reiterhof kennengelernt haben.

„Und reiten wir auch ans Meer?", fragt Luzie aufgeregt.

„In ein paar Tagen vielleicht", sagt Herr Lohmann. „Erst einmal müsst ihr euch mit den Pferden und der neuen Umgebung vertraut machen."

In ein paar Tagen? Luzie ist enttäuscht. Das dauert ja viel zu lange! Luzie war noch nie am Meer. Wie oft hatte sie davon geträumt, mit ihrem Pony am Strand entlangzureiten und dabei den Duft des Meeres einzuatmen – wunderbar!

Die erste Nacht aber ist gar nicht wunderbar. Luzie kann nicht schlafen. Sie wälzt sich von einer Seite auf die andere. Stundenlang!

Irgendwann im frühen Morgengrauen steht Luzie auf. Ganz leise, damit die anderen nicht aufwachen. Sie schleicht nach draußen auf den Hof und steckt die Nase in den Wind. Hm, wie das riecht! Nach Meer und Salz und Pferden.

Und dann tut Luzie es einfach. Ohne zu überlegen. Sie geht in den Stall, sattelt Ricki, das kleine Shetlandpony, und reitet los.

Der Himmel ist dunkelblau. Die Sonne geht in leuchtenden Farben auf. Luzie kann schon das Meer rauschen hören! Und endlich kann sie es auch sehen. Luzie zappelt vor Freude. Sie springt vom Pferd und tanzt begeistert im Kreis herum.

Aber plötzlich passiert es! Luzie tritt in ein großes Sandloch und knickt um.

„Autsch!", ruft Luzie und reibt sich ihren Knöchel. Der Fuß ist geschwollen. Luzie versucht aufzustehen. Aber es geht nicht! Was soll sie jetzt bloß machen?

Und dann läuft Ricki auch noch davon.
Luzie ist den Tränen nahe.

Luzie liegt eine ganze Weile reglos da.
Sie weiß nicht, wie lange sie so gelegen
hat, als sie plötzlich Stimmen hört.

„Luzie, wo bist du? Luuuuzieee!"

Laura, Caro und Mimi kommen an-
geritten.

„Mensch, Luzie", ruft Caro erleichtert.
„Gott sei Dank haben wir dich gefunden!"

„Was fällt dir eigentlich ein, alleine loszureiten?" Laura ist sauer. „Das ist verboten!"

„Du hast Glück, dass Ricki uns geholt hat", sagt Mimi. „Wir sind sofort losgeritten. Keiner hat was gemerkt."

Luzie versucht zu erklären, was sie selber auch nicht so genau weiß. Sie wollte doch nur das Meer sehen. Wenigstens ein klitzekleines Stück davon.

Die drei helfen Luzie aufs Pferd. Jetzt schnell zurück zum Hof! Gleich geht die Reitstunde los.

Luzie muss aussetzen. Laura, Caro und Mimi behaupten, sie sei im Heu umgeknickt.

Da kommt Herr Lohmann mit festem Schritt um die Ecke gebogen. Er sieht wütend aus. Stinkwütend!

„Hier hat sich eine Gruppe heute mit überaus leichtsinnigem Verhalten die Rückfahrkarte nach Hause gelöst", sagt er. Dabei sieht er Luzie, Laura, Caro und Mimi an. „Ihr seid von einem Nachbarn gesehen worden. Kommt mit in mein Büro! Alle vier!"

„Oh nein, nein, das war doch nur ich", jammert Luzie. „Die anderen haben nichts gewusst und mich erst gesucht, als sie mich vermisst haben."

Aber Herr Lohmann lässt nicht mit sich reden. Er winkt Luzie, Laura, Caro und Mimi hinter sich her.

Diese Standpauke werden die Mädchen nie vergessen. Gefahr – ja, was das bedeutet, verstehen sie alle erst jetzt so richtig. Was hätte Luzie außer dem verstauchten Fuß noch passieren können? Wenn keiner sie vermisst oder gefunden hätte? Wenn sie völlig allein über einer Klippe gehangen hätte – oder noch schlimmer? Wenn ihr Pferd durchgegangen wäre? Luzie wird es heiß und kalt. Sie weiß vor Scham und Angst gar nicht, wohin sie schauen soll.

Und die anderen hat sie mit in Gefahr
gebracht – ihre Freunde! Nur wegen ihr
werden die vielleicht auch nach Hause
geschickt.

Herr Lohmann brummelt vor sich hin.
Dann telefoniert er mit Luzies Eltern.
Der ganze Reiterhof steht Kopf.

Als Luzie am Abend ihre Sachen packt,
soll sie noch mal zu Herrn Lohmann ins
Büro kommen.

„Der große Ausritt morgen ist für
euch gestrichen", sagt Herr Lohmann

entschieden. „Stattdessen säubert ihr die Boxen. Für dich, Luzie, heißt es zusätzlich jeden Tag eine Extrastunde Stallarbeit.“

Luzie blickt beschämt zu Boden.

„Du hast wirklich echte Freunde“, fährt Herr Lohmann fort und klingt dabei schon etwas versöhnlicher. „Sie haben sich toll für dich eingesetzt. Außerdem warst du ehrlich und hast von Anfang an alles zugegeben. Deshalb darfst du bleiben. Ausnahmsweise!“

Luzie weiß jetzt gar nicht mehr, wie ihr geschieht.

Laura, Caro und Mimi warten auf sie.

„Danke, ihr Freunde!“, flüstert Luzie.

# Ein Pferdeklub für zwei

Katrin hat seit einem Monat Reitunterricht. Dabei hat sie Nina kennengelernt. Die ist genauso begeistert von
Pferden wie Katrin. Jeden Mittwoch
haben sie Reitstunde. Aber das ist den
beiden viel zu wenig! Sie wollen nicht
nur einmal in der Woche etwas mit
Pferden zu tun haben! Deshalb tauschen
sie Pferdebücher, rufen sich fast jeden
Tag an und reden über Pferderassen
und Pferdepflege und ihre Erlebnisse
in den Reitstunden.

Irgendwann hat Nina eine Idee:
„Wie wäre es, wenn wir ein Pflegepferd
bekämen? Dann könnten wir jeden Tag
im Stall sein und viel öfter reiten!"

„Zu teuer", meint Katrin nur. Sie
weiß ganz genau, das braucht sie ihre
Eltern gar nicht erst zu fragen. Denen
kostet die eine Reitstunde in der Woche
schon genug.

Und Katrin war ja auch zufrieden damit.
Am Anfang. Aber wer Pferde wirklich
liebt, der will eben mehr!

Katrin und Nina beschließen, es trotzdem zu probieren.

Zuerst sprechen sie mit Katrins Eltern.
Die sagen natürlich sofort: „Zu teuer."
Genauso Ninas Eltern. Sie finden
außerdem, Nina soll lieber mehr Mathe
üben, als immer an Pferde zu denken.
Nina ist schlecht in Mathematik. Sie fragt
sich, ob Mathe extra zum Kinderärgern
da ist? Wenn man stattdessen doch nur
Pferdekunde in der Schule hätte!

Weil das mit den Eltern nun doch nicht geklappt hat, schlägt Katrin vor, mit Herrn Schubert – das ist nämlich der Besitzer des Pferdehofes – zu reden. Vielleicht lässt er sie nachmittags manchmal im Stall helfen? „Dann wären wir wenigstens öfter bei den Pferden", sagt Katrin. Nina ist einverstanden.

Herr Schubert sagt ganz einfach: „Kommt doch morgen mal vorbei."

Am Tag darauf treffen sich Katrin und Nina nach der Schule und machen zusammen Hausaufgaben. Sie beeilen sich wie noch nie.

Nina strengt sich bei den Matheaufgaben extra an, aber das mit dem Multiplizieren geht ihr einfach nicht in den Kopf. Katrin übt mit ihr. Sogar im Reitstall will sie nicht aufhören.

Da sagt Nina: „Du bist ja schlimmer als meine Mama."

Aber Katrin macht weiter: „Wie viel ist fünf mal siebzehn?" Und nach einer Weile geht es schon viel besser.

„Im Pferdestall ist trotzdem Mathepause", fordert Nina.

Heute misten sie aus.

Am nächsten Tag dürfen sie Prinzessin striegeln und ihr die Hufe auskratzen. Herr Schubert hat Spaß daran, ihnen alles zu zeigen. Und am dritten Tag dürfen sie ganz allein Prinzessin putzen. Prinzessin hat ein goldbraunes Fell und eine lange helle Mähne und einen wunderschönen Schweif.

Prinzessin ist ein Haflinger. Als sie die
Mähne bürsten, schüttelt Prinzessin den
Kopf. Da müssen sie lachen. Die Mähne
ist nämlich so lang, dass sie Prinzessin
bis in die Augen fällt.

„Die kann ja kaum sehen, die muss
zum Friseur!"

Und dann erleben Katrin und Nina
eine Überraschung. Als sie mit den Fahr-
rädern zur nächsten Reitstunde kommen,

steht Herr Schubert vor dem Stall und wartet auf sie.

„Die Besitzerin von Prinzessin muss für eine Woche verreisen", erklärt er. „Sie lässt fragen, ob ihr beide vorübergehend die Pflege übernehmt."

„Juhu!", ruft Katrin.

„Was Besseres gibt es doch gar nicht!", meint Nina. Am liebsten würden sie Herrn Schubert um den Hals fallen.

Nach der Reitstunde geht es sofort in den Stall: Prinzessin striegeln. Als sie Prinzessins weiches Fell bürsten, sagt Nina: „Eigentlich müssten wir uns jetzt einen Pferdeklubnamen geben."

„Zweier-Pferdeklubs gibt's doch gar nicht", gibt Katrin zu bedenken.

„Egal", meint Nina, „wir haben einen. Und der heißt Prinzessin-Klub."

„Au ja! Wir können ein Heft anlegen, in dem wir genau aufschreiben, was wir mit Prinzessin gemacht haben und wie es ihr ging."

„Wenn sich dieses tolle Heft und natürlich unsere prima Pflege im Stall herumsprechen, bekommt unser Klub vielleicht noch mehr solche Urlaubsvertretungen für Pferdepflege", überlegt Nina weiter.

Katrin nickt begeistert. „Und weil das immer nur kurz ist und außerdem nichts kostet, werden unsere Eltern wohl nichts dagegen haben." Und mit einem Augenzwinkern sagt sie hinterher: „Und wie viel ist drei mal dreizehn?"

# Quellenverzeichnis

S. 11–17
Elisabeth Zöller, *Der Pferdeklub im Einsatz*,
aus: dies., Leselöwen-Pferdeklubgeschichten,
farbig illustriert von Irmgard Paule.
© 2007 Loewe Verlag GmbH, Bindlach

S. 18–26
Henriette Wich, *Opas Geschenk*,
aus: dies., Leselöwen-Reitstallgeschichten,
farbig illustriert von Jutta Knipping.
© 2008 Loewe Verlag GmbH, Bindlach

S. 27–33
Elisabeth Zöller, *Jola ist krank*,
aus: dies., Leselöwen-
Reit- und Voltigiergeschichten,
farbig illustriert von Anne Wöstheinrich.
© 2005 Loewe Verlag GmbH, Bindlach

S. 34–40
Elisabeth Zöller, *Die Pferdezeitung*,
aus: dies., Leselöwen-Pferdeklubgeschichten,
farbig illustriert von Irmgard Paule.
© 2007 Loewe Verlag GmbH, Bindlach

S. 41–48
Henriette Wich, *Überraschung beim Ausmisten*,
aus: dies., Leselöwen-Reitstallgeschichten,
farbig illustriert von Jutta Knipping.
© 2008 Loewe Verlag GmbH, Bindlach

S. 49–57
Elisabeth Zöller, *Ausritt mit Folgen*,
aus: dies., Leselöwen-Pferdeklubgeschichten,
farbig illustriert von Irmgard Paule.
© 2007 Loewe Verlag GmbH, Bindlach

S. 58–65
Elisabeth Zöller, *Was ist Voltigieren?*,
aus: dies., Leselöwen-
Reit- und Voltigiergeschichten,
farbig illustriert von Anne Wöstheinrich.
© 2005 Loewe Verlag GmbH, Bindlach

S. 66–73
Henriette Wich, *Der bockige Ottokar*,
aus: dies., Leselöwen-Reitstallgeschichten,
farbig illustriert von Jutta Knipping.
© 2008 Loewe Verlag GmbH, Bindlach

S. 74–81
Elisabeth Zöller, *Michi will wirklich richtig reiten*,
aus: dies., Leselöwen-
Reit- und Voltigiergeschichten,
farbig illustriert von Anne Wöstheinrich.
© 2005 Loewe Verlag GmbH, Bindlach

S. 82–87
Elisabeth Zöller, *Kein Tag ohne Pferde*,
aus: dies., Leselöwen-Pferdeklubgeschichten,
farbig illustriert von Irmgard Paule.
© 2007 Loewe Verlag GmbH, Bindlach

S. 88–96
Henriette Wich, *Spuk im Stall*,
aus: dies., Leselöwen-Reitstallgeschichten,
farbig illustriert von Jutta Knipping.
© 2008 Loewe Verlag GmbH, Bindlach

S. 97–105
Henriette Wich, *Die letzte Rettung*,
aus: dies., Leselöwen-Reitstallgeschichten,
farbig illustriert von Jutta Knipping.
© 2008 Loewe Verlag GmbH, Bindlach

S. 106–110
Elisabeth Zöller, *Drei Streithähne*,
aus: dies., Leselöwen-
Reit- und Voltigiergeschichten,
farbig illustriert von Anne Wöstheinrich.
© 2005 Loewe Verlag GmbH, Bindlach

S. 111–119
Henriette Wich, *Das weiße Zauberpferd*,
aus: dies., Leselöwen-Reitstallgeschichten,
farbig illustriert von Jutta Knipping.
© 2008 Loewe Verlag GmbH, Bindlach

S. 120–129
Elisabeth Zöller, *Wo ist Luzie?*,
aus: dies., Leselöwen-
Reit- und Voltigiergeschichten,
farbig illustriert von Anne Wöstheinrich.
© 2005 Loewe Verlag GmbH, Bindlach

S. 130–138
Elisabeth Zöller, *Ein Pferdeklub für zwei*,
aus: dies., Leselöwen-Pferdeklubgeschichten,
farbig illustriert von Irmgard Paule.
© 2007 Loewe Verlag GmbH, Bindlach

# Lesespaß und Hörvergnügen ...

Pfiffige Mädchen gehen
gemeinsam durch dick und dünn
und teilen jedes Geheimnis. Hier ist alles
versammelt, was starke Mädchen lesen
wollen – Herzklopfen garantiert!

# ... mit den Leselöwen!

Tauche ein in die wunderbare Welt
der Delfine! Dort wird es richtig spannend,
denn die niedlichen Meeresbewohner
können es gar nicht erwarten, ins
Abenteuer zu schwimmen.